Bili Broga a'r Peli Bach Duon

Mai Parri

Mae Bili Broga'n eistedd ar ei garreg yn y llyn.

Mae'r gwanwyn yn dod.

Mae'n gweld plant yn chwarae pêl.

"Ga i chwarae gyda chi?"
meddai Bili.

Does neb yn ei glywed.

Mae Bili Broga'n drist.
Mae e wedi syrffedu.

"Pam rwyt ti mor drist?"
"Pam rwyt ti wedi syrffedu?"

"Rydw i eisiau pêl."

Bili Broga druan.

Mae Bili'n neidio i'r dŵr.
Mae e'n nofio yn ôl ac ymlaen,
yn uchel ac yn isel,
yn bell ac yn agos.

Mae e'n nofio i gornel bellaf y llyn
ac yn gweld MILOEDD o beli.

"Hwrê! Dyma beli bach duon i mi",
meddai Bili.

Mae Bili'n casglu'r peli bach duon.
"Beth wna i â'r rhain?"
meddai wrtho'i hun.
Mae e'n cael syniadau da.
Mae e'n cael syniadau gwirion.

Dyma Twmi Titw yn dod heibio.
"Ga i eu taflu nhw a'u cicio nhw?"
meddai Bili.
"Na chei, siŵr. Rho nhw'n ôl yn
y dŵr", meddai Twmi.

Dyma Lali Lygoden yn dod heibio.
"Ga i eu gwisgo nhw?" meddai Bili.
"Na chei, siŵr. Rho nhw'n ôl yn y
dŵr", meddai Lali.

Dyma Beni Bwni yn dod heibio.
"Ga i eu gwerthu nhw?" meddai Bili.
"Na chei, siŵr. Rho nhw'n ôl yn y dŵr", meddai Beni.

Dyma Mili Malwen yn dod heibio.
"Ga i eu bwyta nhw?" meddai Bili.
"Na chei, siŵr. Rho nhw'n ôl yn y dŵr.
Rho nhw'n ôl yn y dŵr cyn iddyn
nhw sychu yn yr haul", meddai Mili.

Mae Bili Broga'n drist.
Mae e'n gosod y peli bach o
gwmpas ei garreg ac yn cysgu.

Mae'r gwanwyn yn dod.

Peli bach duon yn gwingo?
Peli bach duon yn tyfu?

Peli bach duon yn nofio?

Beth sydd wedi digwydd, Bili bach?

"Wel, dyma dda", meddai Bili Broga.
"Llond llyn o benbyliaid.
Llond llyn o bethau tebyg i mi.
Llond llyn o frogaod bach."

Mae'r gwanwyn wedi dod.

Mae Bili wrth ei fodd gyda'i ffrindiau bach newydd.

Hwrê!
Mae Bili Broga'n hapus unwaith eto.

Mai Parri

Helo blantos,

Dyma Bili Broga'n ôl. Mae e'n hapus iawn yn ei gartref newydd. Ond er ei fod wedi tyfu ac yn hŷn, mae ganddo lawer i'w ddysgu eto.

Felly os gwelwch chi beli bach duon yn cael eu taflu o gwmpas, peidiwch â beio Bili. Dysgu mae e!